Groupe d'édition la courte échelle inc.
Division la courte échelle
4388, rue Saint-Denis, bureau 315
Montréal (Québec) H2J 2L1
www.courteechelle.com

Direction éditoriale : Carole Tremblay
Conception graphique : Julie Massy
Infographie : Catherine Charbonneau
Révision : Marie Pigeon Labrecque
Correction : Aimée Lévesque

Dépôt légal, 2021
Bibliothèque nationale du Québec

Le Groupe d'édition la courte échelle reconnaît l'aide financière du gouvernement du
Canada pour ses activités d'édition. Le Groupe d'édition la courte échelle est aussi
inscrit au programme de subvention globale du Conseil des arts du Canada et reçoit
l'appui du gouvernement du Québec par l'intermédiaire de la SODEC.

Le Groupe d'édition la courte échelle bénéficie également du Programme de crédit
d'impôt pour l'édition de livres – Gestion SODEC – du gouvernement du Québec.

Financé par le
gouvernement
du Canada | Canadä

**Catalogage avant publication de Bibliothèque et Archives nationales du
Québec et Bibliothèque et Archives Canada**

Titre : Un festin pour les chiens / François Gravel.
Noms : Gravel, François, auteur.
Collections : Collection noire (La Courte échelle)
Description : Mention de collection : Collection noire
Identifiants : Canadiana (livre imprimé) 20200093347 | Canadiana (livre numérique)
20200093355 | ISBN 9782897742720 | ISBN 9782897742782 (PDF)
ISBN 9782897742799 (EPUB)
Classification : LCC PS8563.R388 F47 2021 | CDD jC843/.54–dc23

Imprimé au Québec, Canada

François Gravel

UN FESTIN POUR LES CHIENS

la courte échelle

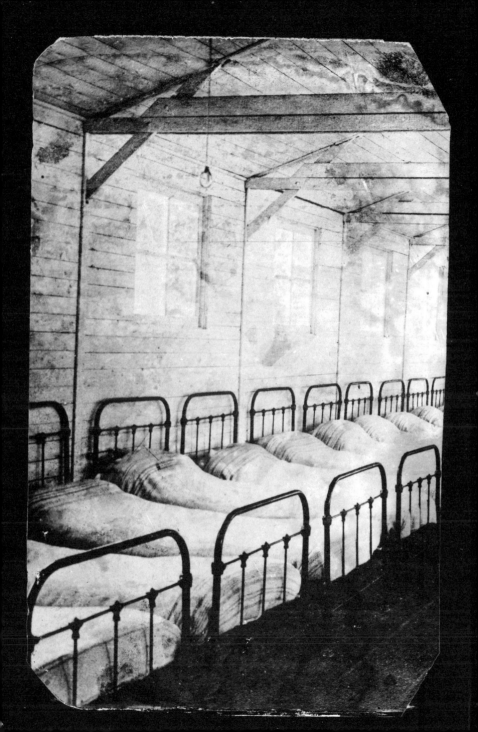

CHAPITRE 1

Quand on a treize ans et qu'on a été élevé dans un orphelinat, on ne rêve plus qu'un roi vienne nous chercher dans son carrosse doré pour nous emmener vivre dans son palais. À cet âge-là, on ne rêve plus que *qui que ce soit* vienne nous délivrer. Les familles normales désireuses d'adopter un enfant veulent un beau bébé blond et joufflu, pas un grand rouquin.

Tout ce que je pouvais raisonnablement espérer au moment où débute ce récit, c'était qu'un fermier ait besoin de main-d'œuvre à bon marché pour récolter du maïs. Ce fermier me ferait dormir dans l'écurie, me nourrirait avec une infâme bouillie et me renverrait à l'orphelinat à la fin de l'été, quand la récolte serait engrangée. Ça m'était arrivé l'été précédent et je n'avais pas envie de recommencer. Quand je voyais arriver un fermier avec ses gros sabots, je faisais semblant de boiter et je prenais un air un peu perdu, comme si j'étais un idiot.

Mon rêve secret, c'était que les religieuses me gardent avec elles pour de bon. J'aurais pu devenir jardinier, ou serrurier, ou homme à tout faire dans l'orphelinat. Quand on vit dans un vieil édifice et qu'on est un peu bricoleur, on trouve toujours à s'occuper. On fait partie des meubles, en quelque sorte. Ça m'allait très bien : moins on me remarquait, mieux je me portais.

Mais ce rêve est maintenant inaccessible. Mon seul espoir, aujourd'hui, est de rester en vie encore quelques jours, même dans ce corps vieux et ridé.

CHAPITRE 2

Tout cela a commencé quand le docteur Thomas est venu faire sa visite annuelle à l'orphelinat.

Le vieux médecin était un homme sec et renfermé, qui semblait détester son métier. Je ne l'ai jamais vu sourire, c'est à peine s'il nous parlait, et je ne suis même pas sûr qu'il pouvait nous voir : il portait des lunettes dont les verres étaient aussi épais que des loupes et qui lui faisaient d'immenses yeux globuleux.

Ses examens ne duraient habituellement que quelques secondes : il nous demandait de tirer la langue, inspectait nos oreilles, écoutait notre cœur et nos poumons, et c'était à peu près tout.

Je ne sais pas ce qui m'a pris de lui parler tandis qu'il griffonnait quelques notes dans un cahier.

– Il y a quelque chose d'étrange qui m'arrive parfois, docteur…

– Quoi donc ? a-t-il demandé d'un air ennuyé.

– Je vois parfois mes doigts se dédoubler, comme si un fantôme voulait sortir de mon corps. Ça ne fait pas mal, mais c'est bizarre.

Il a aussitôt arrêté d'écrire et il est resté figé quelques instants avant de me poser une pluie de questions :

– Ça t'arrive souvent ? La main gauche ou la main droite ? Ça dure combien de temps ? Vois-tu des lettres trembler quand tu lis ? Est-ce que tu sens une chaleur dans tes doigts ? Un picotement ? Une démangeaison ?

Je ne l'aurais jamais cru capable de parler aussi longtemps. J'ai répondu comme j'ai pu, étonné par cet intérêt inattendu.

– Ça ne m'arrive pas souvent, non, une fois ou deux par mois, je dirais, surtout le soir, et ça ressemble plutôt à un chatouillement. Je ne vois pas les lettres bouger quand je lis, seulement les doigts de ma main gauche…

Il a continué à prendre des notes dans son cahier, mais il écrivait maintenant très vite et paraissait surexcité.

– Nous allons tirer cela au clair, jeune homme, mais j'ai besoin d'instruments pour pousser plus loin mes investigations. Si c'est ce que je pense, ce n'est pas inquiétant. Ça peut même être très intéressant, pour toi comme pour moi.

Je ne peux malheureusement pas t'en dire plus long pour le moment, mais je reviendrai te voir très bientôt. En attendant, prends soin de toi et ne parle de ce phénomène à personne, surtout pas aux religieuses. Elles sont si superstitieuses.

Je n'ai pas eu à me taire très longtemps : à ma grande surprise, il est revenu dès le lendemain. Il a demandé aux religieuses de nous laisser seuls dans le local qui servait d'infirmerie, puis il a procédé à un examen de la vue très poussé, me faisant regarder à travers un grand nombre de lentilles. Il notait les résultats de ses tests dans un cahier en marmonnant des propos in-compréhensibles, mais il avait l'air satisfait de ce qu'il voyait.

– Étends-toi maintenant sur cette civière. Je te ferai respirer un mélange gazeux de ma com-position. Tu dormiras profondément pendant une heure ou deux, et tu ne sentiras absolument rien. Tu pourrais même faire de très beaux rêves, on ne sait jamais.

Ce n'était pas une proposition, mais un ordre.

Si j'avais su ce qui suivrait, je me serais alors enfui en courant, mais que pouvais-je faire ? Les religieuses m'avaient appris à être obéissant, et ce médecin était intimidant.

Je me suis donc étendu sur la civière et je l'ai laissé m'immobiliser les chevilles et les poignets avec de solides lanières de cuir.

– C'est uniquement pour ta protection que je t'attache ainsi, m'a expliqué le médecin. Tu pourrais devenir somnambule, et Dieu sait ce qui pourrait t'arriver dans pareil cas.

Une fois que j'ai été bien ligoté, il a sorti de sa trousse un masque en caoutchouc muni de sangles. Il a imbibé deux tampons d'ouate d'un liquide incolore et les a déposés dans le masque, puis il a appliqué cet appareil sur ma bouche et mon nez.

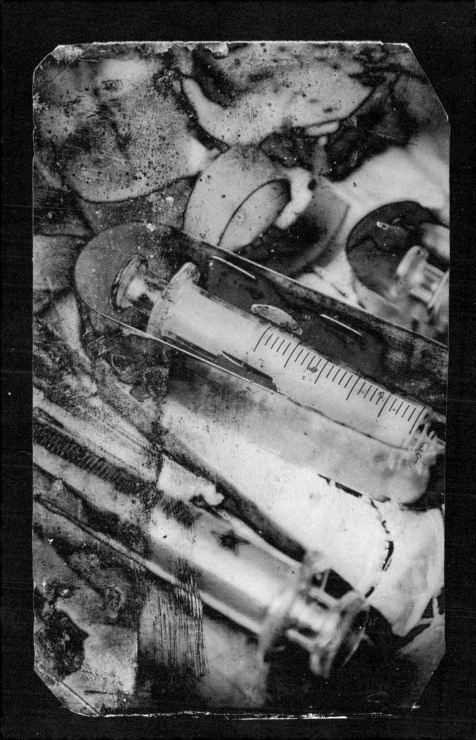

J'ai eu le réflexe de retenir mon souffle, mais je n'ai pas pu résister très longtemps. Une seule respiration a suffi à me plonger dans un sommeil peuplé d'atroces cauchemars : des rats aux yeux rouges m'encerclaient et grugeaient le bout de mes souliers. J'essayais de m'en débarrasser en leur donnant des coups de pied, sans succès : ils revenaient par vagues, toujours plus nombreux, toujours plus hargneux, et m'attaquaient de tous les côtés.

Cette vision était si atroce que je me suis évanoui − ce qui peut sembler étrange puisque j'étais endormi, mais c'est le meilleur mot que je peux trouver pour décrire ce qui m'est arrivé.

Quelques secondes ou quelques minutes plus tard − j'avais complètement perdu la conscience du temps −, je me suis retrouvé à quelques pouces du plafond de la pièce, comme suspendu dans l'espace. Je pouvais *me voir moi-*

même, étendu sur la civière, solidement sanglé et portant ce masque qui ressemblait à une muselière.

J'étais divisé en deux : mon corps physique était là, immobile, endormi, tandis que mon fantôme, mon esprit, mon double, appelez cela comme vous voudrez, assistait à la scène du haut des airs. Ce double était collé au plafond, incapable de parler, de crier ou de faire le moindre bruit. Je pouvais cependant me déplacer de quelques pouces vers la droite ou vers la gauche, par la force de ma volonté, pour mieux observer la scène. Si je pouvais bouger, je ne pouvais toutefois pas me voir moi-même : je faisais le geste de mettre ma main devant mes yeux, mais je ne la voyais pas. Mon esprit avait quitté mon corps et cet esprit était parfaitement invisible.

Il était tout aussi invisible pour le docteur Thomas : celui-ci avait levé la tête pour scruter le plafond, comme s'il cherchait à me voir, mais sans y arriver. Il avait un regard d'aveugle, incapable de se fixer sur quoi que ce soit.

J'ai pu flotter ainsi dans les airs pendant quelques minutes, puis je me suis senti *aspiré* vers mon corps physique, qui s'est aussitôt mis à trembler comme une feuille.

Le docteur Thomas m'a alors libéré du masque et des courroies, puis il m'a fait respirer des sels et j'ai pu recouvrer mes esprits. Il m'a ensuite demandé de lui raconter ce qui s'était passé – ce que j'ai fait, en lui donnant le plus de précisions possible. Il n'a porté qu'un intérêt mitigé au récit de mes cauchemars, mais il était bouche bée quand je lui ai dit que j'avais senti mon corps en entier – et pas seulement mes doigts – se dédoubler et monter jusqu'au plafond. Ses yeux, déjà immenses, se sont écarquillés. Comme ils étaient grossis par les verres de ses lunettes, ils étaient terrifiants.

– J'ai enfin trouvé la clé, l'ai-je alors entendu dire pour lui-même. Un jeune homme doué, une solution d'éther et de belladone, et le tour est joué! Le maître sera content. Que dis-je? Il sera au septième ciel! Ma fortune est faite!

Je ne comprenais évidemment rien à ce qu'il racontait.

– Écoute-moi bien, jeune homme. Tu ne parles pas aux religieuses de ce que tu viens d'expérimenter, d'accord? Pas un mot! Rien du tout! À partir d'aujourd'hui, tu es muet! C'est compris?

– Oui, docteur.

– C'est bien. Tu auras de mes nouvelles très bientôt, ne t'inquiète pas. En attendant, je te le répète, pas un mot!

Qui sait ce qui se serait produit si j'avais eu le courage de lui désobéir? Je ne le saurai jamais, hélas!

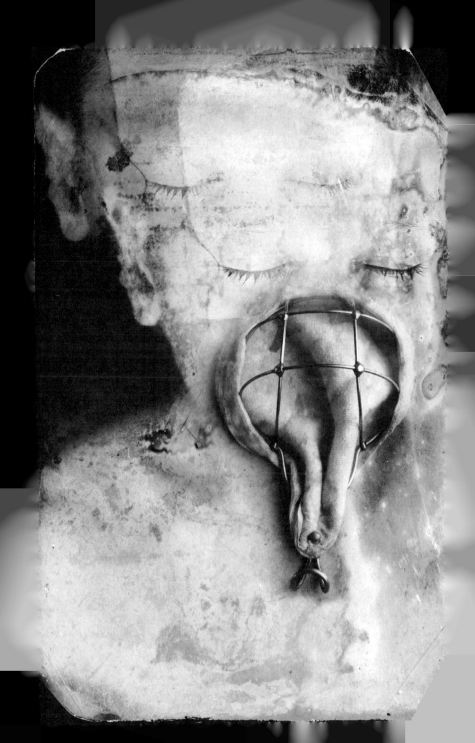

CHAPITRE 3

Deux jours plus tard, je me suis retrouvé dans le bureau de sœur Agnès, la responsable des adoptions.

Un homme se trouvait là, assis devant elle. Il était si grand et si mince qu'il me faisait penser à ces roseaux qu'on voit au bord des étangs. Son front ridé était celui d'un vieillard, ses cheveux étaient si sombres qu'ils semblaient teints avec du charbon, et la peau de son visage, d'une blancheur laiteuse, lui donnait par contraste un air maladif.

À en juger par ses vêtements, il me paraissait riche : il portait une veste sous son veston, un faux col et des manchettes bien amidonnées, mais ce qui me fascinait surtout, c'était la chaînette en or qui ornait sa veste et à laquelle devait être attachée une montre du même métal, cachée dans une poche prévue à cet effet. Je savais que de tels bijoux existaient, mais je n'aurais jamais cru qu'il me serait donné d'en voir un jour.

Il s'est levé à mon arrivée et s'est approché de moi, m'a examiné de pied en cap, puis s'est tourné vers la religieuse.

– C'est lui que je veux, a-t-il dit une voix assurée. Il s'appelle bien Martin, n'est-ce pas ? C'est lui qui a été vu par le docteur Thomas ?

La religieuse a opiné du bonnet, et l'homme a aussitôt affiché un grand sourire.

– Il est appelé à un brillant avenir s'il accepte de travailler pour moi, j'en suis persuadé. Accepterez-vous que je fasse une donation pour votre orphelinat, sœur Agnès ? Puis-je utiliser votre encrier, que je vous rédige un chèque ?

La religieuse s'est empressée de lui approcher un encrier et un buvard, et j'ai alors remarqué un détail étrange tandis qu'il signait des papiers : ses mains étaient revêtues de gants noirs qui semblaient faits de fine soie, et il portait des bagues *par-dessus* ses gants. Il n'a pas enlevé ces gants pour griffonner quelques chiffres sur un bout de papier, qu'il a tendu à sœur Agnès.

– Je suppose qu'il y aura là de quoi améliorer l'ordinaire de vos pauvres orphelins, a dit le vieil homme avant de se tourner vers moi en souriant.

Je n'ai aucune idée du montant qui était indiqué sur ce chèque, mais sœur Agnès en est restée muette en le découvrant.

– Tu dois avoir quelques effets personnels, Martin ? m'a-t-il demandé d'un ton aimable. Va les chercher, mais ne t'encombre pas de tes fripes. Je veillerai à te vêtir correctement. Fais vite, mon cocher nous attend. Nous devons partir immédiatement si nous voulons arriver au manoir avant la nuit.

Son *cocher* ? Cet homme avait ainsi une *voiture* en plus d'une montre en or ? Il vivait dans un *manoir* ? Qu'avais-je donc fait pour mériter l'attention de ce riche seigneur ? Je me doutais bien que l'expérience que j'avais vécue avec le docteur Thomas y était pour quelque chose, mais comment cela pouvait-il l'intéresser ?

Ne pouvant répondre à aucune de ces interro-gations, je me suis contenté de courir jusqu'au dortoir pour récupérer mes pauvres possessions et je suis revenu aussi vite que j'ai pu au bureau de sœur Agnès.

L'homme m'a alors examiné une fois de plus de la tête aux pieds pendant que je reprenais mon souffle, et je n'ai pas aimé ce que j'ai vu. Son sourire et son regard étaient en effet en totale opposition : si sa bouche souriait, ses yeux, eux, exprimaient de l'avidité – celle d'un parieur qui venait de se procurer un cheval de course, ou d'un avare devant un sac de pièces d'or.

– Je m'appelle Asmodius, m'a-t-il dit tandis que nous marchions d'un pas rapide vers sa voiture.

Était-ce un nom ou un prénom ? Fallait-il que je l'appelle « monsieur », ou « seigneur » ? Peut-être aussi avait-il un titre nobiliaire ? Baron, duc, prince ?

J'aurais eu dix mille questions à lui poser, mais je me suis retenu et me suis résigné à trotter derrière lui en essayant de ne pas lui faire perdre de temps.

Sa voiture était stationnée devant l'entrée principale. C'était un cabriolet orné de bois rares et tiré non pas par un seul cheval, comme je m'y attendais, mais par une paire de purs-sangs qui auraient pu être de parfaits jumeaux. Leur robe noire était si brillante qu'elle était presque lumineuse, pour autant qu'on puisse parler d'une lumière noire.

Le cocher, un homme assez âgé, m'a salué comme si j'étais un gentilhomme, puis m'a aidé à monter avant de regagner son poste et d'ordonner à ses chevaux de se mettre en route. Je n'en revenais pas de la chance que j'avais : moi, un simple orphelin que les religieuses avaient élevé par charité, j'étais traité comme un prince !

Je suppose que la nouvelle de mon adoption avait couru aussi vite qu'une maladie contagieuse dans l'orphelinat puisque presque tous mes compagnons étaient massés aux fenêtres et au balcon pour assister à mon départ.

Personne ne se serait douté à ce moment-là que c'était eux, et non moi, qui avaient de la chance.

CHAPITRE 4

Nous nous sommes installés dans sa voiture et Asmodius a aussitôt donné l'ordre à son cocher de partir.

Je me suis interdit de lui parler : les religieuses m'avaient enseigné à ne jamais adresser la parole à un adulte avant d'obtenir sa permission, surtout s'il était d'une condition supérieure, et je m'en suis tenu à cette règle.

Il semblait de son côté très peu bavard. Notre voyage a duré une longue journée, au cours de laquelle il ne m'a parlé qu'à de très rares reprises.

– N'essaie jamais de me désobéir, Martin, a-t-il d'abord déclaré. Tu apprendras vite que j'obtiens toujours ce que je veux. Tu m'as bien compris ?

Il m'a fixé droit dans les yeux en me disant ces mots d'une voix sifflante, et je me suis senti comme un oiseau hypnotisé par le regard d'un serpent.

– J'ai bien compris, monseigneur.

– Appelle-moi maître. Parmi mes nombreux titres, c'est celui que je préfère.

– Bien, maître.

– C'est bien. Je m'attends à ce que tu m'obéisses au doigt et à l'œil, c'est compris ?

– Oui, maître.

— Je vois que les religieuses ont bien fait leur travail ! Le respect de l'autorité, il n'y a que ça de vrai ! Ha, ha, ha !

Son rire n'avait rien de rassurant, et les longs silences qui suivaient l'étaient encore moins.

À l'heure du midi, nous nous sommes arrêtés dans une auberge pour dîner. À mon grand étonnement, maître Asmodius n'a pas enlevé ses gants pour manger. De quelle cruelle maladie était-il atteint pour être obligé de se couvrir de cette façon ?

À la fin de l'après-midi, nous avons enfin franchi une grille, puis nous nous sommes engagés sur un chemin de terre réduit à sa plus simple expression : ce n'était guère plus que deux ornières creusées dans le sol. Les arbres formaient un tunnel au-dessus de nos têtes et des branches venaient parfois effleurer la voiture. Je n'avais jamais vu de forêt aussi dense.

Le ciel me semblait de plus en plus sombre, mais ce n'était peut-être qu'une illusion causée par la végétation qui devenait plus touffue. Quoi qu'il en soit, j'avais le sentiment d'étouffer.

Cette impression ne s'est pas estompée quand nous sommes enfin arrivés au manoir, bien au contraire.

CHAPITRE 5

Le bâtiment devant lequel nous nous sommes finalement arrêtés aurait pu porter le titre de palais. Je comptais une bonne douzaine de fenêtres rien que sur la façade, et il devait y en avoir au moins autant à l'arrière. Je ne pouvais pas croire que cette maison logeait une seule personne : elle aurait facilement pu abriter une centaine d'orphelins, sans parler des religieuses qui en auraient pris soin. La construction avait beau dégager une aura de richesse, elle avait quelque chose de lugubre : les murs étaient sombres et les fenêtres du rez-dechaussée étaient munies de grilles en fer forgé.

Le terrain qui entourait le manoir était immense, lui aussi, mais il ne ressemblait en rien aux jardins de l'orphelinat. Tandis que ces derniers étaient bien entretenus par les religieuses, qui cultivaient fruits, légumes et plantes médicinales, ceux que j'avais devant moi n'étaient composés que de haies épineuses, taillées au cordeau, qui formaient un labyrinthe.

Le personnel de la maison, qui s'était réuni devant l'entrée principale pour nous accueillir, contribuait lui aussi au caractère inquiétant de l'endroit. Il y avait là un vieux jardinier voûté, un garçon d'écurie à la mine patibulaire, une femme de ménage et une cuisinière qui me semblaient l'une et l'autre aussi renfrognées, et enfin une infirmière qui a immédiatement accroché mon regard : non seulement elle paraissait plus jeune que les autres employés, mais elle portait un uniforme d'un blanc immaculé. On aurait dit qu'un rayon de soleil était chargé de l'éclairer en permanence, et de ne s'occuper que d'elle. Mon attention a cependant vite été détournée par un autre domestique arrivé un peu après les autres, et qui retenait difficilement trois énormes chiens qui ne demandaient pas mieux, à en juger par leur allure, que de me réduire en charpie.

— Laisse-moi te présenter Edgar, a dit maître Asmodius en me désignant l'homme responsable de ces bêtes. Les molosses que tu vois là, Martin, sont des descendants directs des mastiffs que les Romains utilisaient pour combattre les grands fauves dans les arènes. Ils s'en servaient aussi comme chiens de guerre. Ces bêtes sont très cruelles et tout entières dévouées à leur tâche : personne n'entre ni ne sort de mon domaine sans avoir affaire à elles. Il n'y a rien de tel que des chiens détachés pour que le personnel nous soit attaché ! Ha, ha, ha !

Il a ensuite fait un signe à Edgar, et celui-ci s'est approché si près de moi que j'ai pu sentir l'haleine de ses bêtes. Il devait les retenir de toutes ses forces pour qu'elles ne me sautent pas à la gorge.

Quand maître Asmodius a jugé que les chiens avaient eu le temps de bien mémoriser mes odeurs, il a ordonné à son garde-chasse de reculer pour nous laisser passer. Il n'a pas eu besoin pour cela de parler à son employé : un simple regard, suivi d'un geste du doigt, lui a suffi. J'ai alors compris le sens de l'expression être obéi « au doigt et à l'œil ».

– Irma va maintenant te montrer ta chambre, a-t-il ajouté. Aussitôt que tu y auras posé tes bagages, viens me rejoindre dans la salle à manger. Je veillerai à ce qu'on nous prépare un bon repas. Ce voyage m'a creusé l'appétit.

Il a ensuite franchi la porte d'entrée sans même saluer le personnel, m'abandonnant temporairement aux bons soins de la vieille servante.

La pauvre femme devait avoir quatre-vingts ans, sinon plus. Elle marchait très lentement et elle était si courbée qu'elle risquait de tomber à chaque pas. Quand elle a fait mine de prendre mon sac, j'ai voulu l'en empêcher, mais elle a insisté.

– Laissez-moi faire, jeune homme, m'a-t-elle dit d'une voix chevrotante. Je dois me montrer utile si je veux que le maître veuille bien me garder à son service.

Je l'ai laissée prendre mon sac, à contrecœur, et je l'ai suivie jusqu'à ma chambre, qui était située à l'étage.

Jamais je n'aurais pu imaginer une pièce aussi luxueuse, moi qui avais toujours dormi dans des dortoirs. Le lit à baldaquin aurait pu accueillir cinq ou six enfants, la grande fenêtre était bordée de trois paires de lourdes tentures alors qu'une seule aurait suffi, et des tapis étaient jetés çà et là sur le sol. L'un d'eux m'a fait sursauter : c'était une peau d'ours, une véritable fourrure d'animal dont on avait gardé la tête et dont les yeux semblaient me fixer de façon menaçante.

— Ce n'est pas de cette vieille dépouille mitée que vous devriez avoir peur, mon pauvre enfant! a chuchoté la vieille servante.

Elle a ensuite repris sa voix normale, comme si elle ne m'avait rien dit.

— Vous voudrez sans doute vous rafraîchir à la salle de bain. Faites vite, le maître n'aime pas qu'on le fasse attendre.

Elle a baissé le ton une fois de plus.

— Si j'étais à votre place, j'essaierais de ne jamais contredire le maître. Il peut se montrer extrêmement cruel quand il n'obtient pas ce qu'il désire. Bonne chance, mon petit! Je prierai pour vous!

J'ai à peine eu le temps d'assimiler ces inquiétantes paroles qu'elle avait pris congé. Elle a refermé la porte derrière elle, puis l'a verrouillée.

À partir de ce moment-là, il n'y a plus eu aucun doute dans mon esprit : cette chambre était une cellule, et ce manoir, une prison.

CHAPITRE 6

Quelques minutes plus tard, un serviteur frappait à la porte de ma chambre. En ne s'adressant à moi que par gestes – peut-être était-il muet ? – , il m'a guidé jusqu'à la salle à manger, où maître Asmodius m'attendait. Celui-ci m'a ordonné, par de simples gestes lui aussi, de m'asseoir à l'autre extrémité de la table.

Le serviteur m'a bientôt apporté un repas, que j'ai mangé en silence. Il ne me revenait pas d'amorcer la conversation, et il aurait été difficile de toute façon de nous parler : cette table était immense et nous étions séparés par d'énormes chandeliers.

Ce n'est qu'après le dessert que mon hôte s'est approché pour pouvoir s'entretenir avec moi à voix basse. J'aurais préféré qu'il reste éloigné : son haleine était pestilentielle.

– Nous commencerons nos expériences dès demain, a-t-il d'abord lancé.

– ... De quelles expériences voulez-vous parler ?

– De ta décorporation, bien sûr ! Le docteur Thomas est le meilleur de mes dépisteurs et il m'a assuré qu'il n'avait jamais vu un talent tel que le tien. Tu as vu tes doigts se dédoubler, non ?

– C'est vrai, mais...

– Tu as même senti ton corps entier flotter dans les airs, n'est-ce pas ? Comme si ton âme se séparait de ton corps, que ton esprit avait une existence indépendante ?

– Je suppose qu'on peut voir les choses de cette manière, oui, mais ça ne m'est arrivé qu'une fois... Ce n'était peut-être qu'une sorte de rêve provoqué par les gaz que le docteur Thomas m'a fait respirer.

– Ce n'était pas un rêve, crois-moi. Je sais de quoi je parle. Nous allons répéter cette expérience dans un contexte où tous les paramètres seront contrôlés. Nous aurons ainsi la preuve non seulement que l'âme existe, mais également qu'elle peut se détacher du corps. Te rends-tu compte de l'importance de cette découverte ? Ce que les religions n'avaient pu qu'imaginer depuis des siècles, nous le démontrerons scientifiquement, une fois pour toutes ! Mon nom sera célèbre dans le monde entier ! Le tien aussi, bien sûr !

Il a continué à me parler de ses rêves de gloire pendant un temps qui m'a paru interminable, mais je l'écoutais de moins en moins. Je regardais plutôt les veines de son front, qui rougissaient quand il parlait. Ses mains, toujours gantées de noir. Ses longs doigts de pianiste. Ses bagues ornées d'étranges symboles. Plus je l'observais, plus j'avais l'impression d'avoir affaire à un fou. Et à un fou dangereux.

J'en ai eu la confirmation quand il a subitement changé de ton et m'a dit de sa voix sifflante :

– Tout ce qui se passe dans cette maison est porté à ma connaissance, Martin. Je sais tout ce que les gens disent, tout ce qu'ils chuchotent, tout ce qu'ils *pensent.* Je le sais même *avant qu'ils le sachent eux-mêmes* ! Je connais le dessous des choses, le *véritable* dessous des choses. N'essaie jamais de me trahir, tu m'entends ? N'essaie même pas de *penser* me trahir. Et n'essaie surtout pas de t'enfuir, à moins de vouloir devenir un festin pour les chiens !

– Bien, maître.

– Et maintenant, allons dormir ! Nous avons tous deux intérêt à être bien reposés pour commencer nos expériences !

***

J'étais épuisé quand j'ai enfin gagné ma chambre, mais j'ai été incapable de dormir.

Je repensais à ce que maître Asmodius avait dit, et cela me paraissait n'avoir aucun sens. S'il n'était motivé que par la curiosité scientifique, comme il le prétendait, pourquoi craignait-il que je le trahisse ? Pourquoi ces menaces ? Et pourquoi, enfin, me gardait-il prisonnier ?

Je me suis approché de la porte pour l'examiner. Elle était très épaisse et munie de serrures et de verrous destinés non pas à me protéger des intrus, mais à m'empêcher de prendre la clé des champs.

Je me suis ensuite dirigé vers la fenêtre. Comme elle était située à l'étage, elle ne comptait ni grille ni barreaux, et j'ai vu que de vieux lierres grimpaient sur les pierres. S'ils étaient aussi solides que ceux qui recouvraient les murs de l'orphelinat, je pourrais peut-être m'y agripper et descendre tout doucement jusqu'au sol ?

J'ai tenté d'ouvrir la fenêtre en faisant le moins de bruit possible. À mon grand étonnement, j'y suis arrivé sans peine. Mon geste n'est toutefois pas passé inaperçu : trois mastiffs ont aussitôt accouru en aboyant avec fureur. S'ils avaient pu grimper au mur, ils m'auraient déchiqueté. Comme si ce n'était pas suffisant pour me dissuader, Edgar est apparu quelques instants plus tard, armé d'une carabine.

La démonstration était convaincante : si les chiens arpentaient la cour en toute liberté pendant la nuit, je n'avais aucune chance de m'enfuir. J'étais bel et bien prisonnier.

CHAPITRE 7

Le lendemain matin, j'ai entendu des coups frappés à ma porte, suivis de nombreux bruits métalliques.

– Venez vite déjeuner, m'a ordonné Irma quand elle a enfin réussi à pousser tous les verrous.

J'ai bondi sur mes pieds, fait un rapide passage à la salle de bain et enfilé les mêmes vêtements que la veille avant de descendre à la salle à manger, où m'attendait maître Asmodius, impatient.

– Te voilà enfin ! s'est-il exclamé. Fais vite, Lamia nous attend dans la dépendance.

Asmodius avait l'air si fébrile que je n'ai même pas pris le temps de m'asseoir pour avaler les deux tranches de pain et les œufs qui se trouvaient dans mon assiette. Je les ai engloutis en vitesse puis j'ai emboîté le pas au maître, qui m'a entraîné vers un bâtiment situé tout près de la maison. On aurait dit un modèle réduit du manoir.

Les chiens que j'avais aperçus pendant la nuit ne couraient plus en liberté, heureusement pour moi. Ils étaient enfermés, en compagnie de plusieurs de leurs semblables tout aussi menaçants, dans un enclos qui s'apparentait étrangement à un cimetière : des pierres tombales se dressaient en effet, çà et là, sur de petites buttes. La terre semblait fraîchement retournée devant certaines d'entre elles.

– Ça donne à réfléchir, n'est-ce pas ? a dit Asmodius de sa voix sifflante. Voilà le sort qui attend ceux qui ne répondent pas à mes attentes ! Ha, ha, ha !

Avait-il vraiment lu dans mes pensées, ou simplement deviné mes craintes en suivant mon regard ? Je l'ignore, mais je me suis dès lors efforcé de ne rien laisser paraître de mes préoccupations.

Ce qu'Asmodius avait appelé «la dépendance» avait beau être une copie en modèle réduit du manoir, elle était tout de même assez vaste, et la porte qui y menait était énorme. Il fallait pour l'ouvrir insérer trois clés différentes dans autant de serrures.

– Voici notre laboratoire, m'a annoncé fièrement Asmodius. Tout a été aménagé pour rendre nos expériences les plus agréables possible, tu verras.

Il m'a laissé passer devant lui, ce qui m'a permis de découvrir une grande salle équipée d'une multitude d'appareils dont je ne connaissais pas l'utilité.

Mon attention s'est vite portée vers un fauteuil gigantesque qui se trouvait au centre de la pièce. Ses dimensions étaient si impressionnantes qu'il aurait sans doute été plus juste de parler d'un trône – un trône qui n'était sûrement pas destiné à un roi, puisque les bras et les pattes étaient munis d'épaisses courroies de cuir et de cercles de métal.

– N'aie pas peur, Martin, m'a dit Asmodius en regardant fièrement le meuble massif. Cette chaise n'a rien d'un instrument de supplice, même si elle en a toutes les apparences. Nous pouvons même la considérer au contraire comme un instrument de libération. Laisse-moi maintenant te présenter Lamia, mon assistante.

J'étais tellement troublé par cette chaise que je n'avais même pas remarqué l'infirmière qui se tenait pourtant tout près de nous. Elle avait la tête baissée et les mains croisées devant elle, dans une attitude de soumission.

– Tu peux lever les yeux et saluer Martin, Lamia, a déclaré maître Asmodius sur le ton de celui qui fait une immense faveur.

– Bien, maître, a-t-elle répondu avant de se tourner vers moi.

J'ai reconnu l'infirmière que j'avais vue la veille, et qui m'avait paru plus jeune que les domestiques. À y regarder de plus près, ce n'était cependant peut-être qu'une illusion. Lamia portait des gants noirs, et son cou était dissimulé sous un foulard qui semblait fait du même tissu. La peau de son visage était lisse comme de la porcelaine, mais cela pouvait être dû aux fards et aux crèmes qu'elle avait utilisés. Ses cheveux étaient d'un roux si intense qu'ils ne paraissaient pas naturels.

– Bonjour, Martin, a-t-elle simplement dit. Je suis heureuse de faire ta connaissance.

– Bonjour, mademoiselle.

J'ai tenté de croiser son regard, sans succès : elle fixait la petite portion du plancher devant elle. Peut-être agissait-elle ainsi par soumission, mais peut-être aussi craignait-elle, tout comme moi, que maître Asmodius lise dans ses pensées.

J'aurais sans doute dû l'imiter, mais j'en ai été incapable et j'ai continué à examiner les lieux. J'ai bientôt aperçu un petit lit de camp, dans un coin, ainsi qu'une malle en bois.

– C'est ici qu'habite Lamia, s'est empressé d'expliquer maître Asmodius. Et elle en est très heureuse. N'est-ce pas, Lamia ?

– Oui, maître. J'ai ici tout ce qu'il me faut et je vous en suis infiniment reconnaissante.

– Je te donne une heure pour procéder aux tests d'usage, a ordonné Asmodius d'un ton sec. Tu n'auras pas une seconde de plus.

Sa voix sifflante me faisait chaque fois le même effet : on aurait dit une craie qui grince sur un tableau noir.

– Je ferai tout en mon pouvoir pour accomplir ma tâche le plus rapidement possible, maître.

– C'est ce à quoi je m'attends de ta part. Souviens-toi que des infirmières comme toi, je peux en engager autant que je veux. Je pourrais aussi en trouver de plus accommodantes, si tu vois ce que je veux dire. Considère-toi chanceuse de travailler pour moi.

– J'en remercie le destin chaque jour, maître.

Je n'avais peut-être pas le don de lire dans les pensées des gens, comme Asmodius, mais il était facile de deviner que cet homme lui inspirait de la terreur. Et cette peur était contagieuse.

— C'est bien, a conclu maître Asmodius. Prépare-le-moi, et ne rate pas ton coup cette fois-ci.

CHAPITRE 8

Aussitôt maître Asmodius sorti, j'ai senti Lamia se détendre. Elle a émis un long soupir, puis elle m'a invité à m'asseoir sur une chaise pour me faire passer des tests beaucoup plus poussés que ceux auxquels m'avait habitué le docteur Thomas : en plus d'examiner ma gorge et mes oreilles, d'éprouver mes réflexes et de prélever quelques liquides organiques, elle a pris les mesures de chacun de mes membres, et même celles de mes doigts et de mes ongles.

— Le maître est maniaque des détails, m'a-t-elle dit à voix basse tandis qu'elle mesurait la circonférence de mon crâne. Tant mieux si ça nous donne le temps de parler seul à seule. Nous n'avons pas une minute à perdre, Martin.

Étonné qu'elle me parle sur ce ton, je me suis contenté de hocher la tête.

– J'espère que tu as deviné que maître Asmodius n'a aucun intérêt pour la science. A-t-il essayé de te faire croire qu'il était suprêmement intelligent et qu'il lisait dans tes pensées ?

– En effet…

– Pure foutaise. S'il savait ce que je pense vraiment de lui, il m'aurait depuis longtemps abandonnée à ses chiens. Il est suprêmement imbu de lui-même, voilà la vérité. Et suprêmement dangereux, malheureusement. Ce qu'il t'a raconté au sujet de ses chiens est vrai, par contre. Personne ne sait combien de bêtes il possède au juste. Ce sont des masses de haine pure, dressées pour tuer. N'essaie jamais de t'enfuir : elles te rattraperaient aussitôt et tu finirais au cimetière, avec les autres.

– … Les autres ?

– Tu n'es pas le seul jeune homme à avoir vécu des expériences de décorporation, mon pauvre Martin. Asmodius… je veux dire le maître a tôt fait de les repérer grâce à son réseau d'informateurs et de les emmener ici. Quand il n'arrive pas à ses fins, il se débarrasse de ses *invités,* tout bonnement. Il n'accorde aucune importance aux vies humaines. Il ne se donne d'ailleurs même pas la peine de cacher les corps de ses cobayes, ou du moins ce qu'il en reste après que les chiens se sont régalés : il les enterre au contraire en face de chez lui, à la vue de tous, et leur élève des pierres tombales. Tu as dû voir le cimetière, n'est-ce pas ?

J'ai répondu en hochant la tête. Ce que me disait Lamia correspondait parfaitement à tout ce que j'avais vu depuis mon arrivée dans ce manoir. Je n'avais donc pas d'autre choix que de la croire.

– Et personne ne vient jamais ici ?

– Quelle drôle d'idée ! Il faudrait d'abord que ces personnes sachent que ce manoir existe… Mais ne perdons pas de temps, Martin. Le maître peut revenir d'un moment à l'autre. Tu sais ce qu'il attend de toi, n'est-ce pas ?

– Il veut faire la preuve scientifique que l'âme peut se séparer du corps ?

– Encore de la foutaise. Seul compte son intérêt personnel. Son rêve est de se décorporer, comme tu l'as fait. Il veut être un pur esprit, tel un papillon débarrassé de sa chrysalide. Il pourrait ainsi accéder à la vie éternelle – c'est du moins ce qu'il croit…

– Mais je n'ai eu qu'une seule expérience de décorporation, et elle n'a duré que quelques instants. Si maître Asmodius s'attend à ce que je lui enseigne le secret de la vie éternelle, il sera déçu !

– N'oublie pas qu'il se croit suprêmement intelligent. Tout ce dont il a besoin, c'est d'un cobaye sur lequel expérimenter divers mélanges gazeux. Je te ferai bientôt respirer le même mélange que le docteur Thomas avait concocté, mais maître Asmodius y a ajouté un élément qui rendra ton âme fluorescente. Si tout se passe comme prévu, nous pourrons visualiser ton esprit, et même en garder une trace sur une plaque de bronze. C'est un tout nouveau procédé qui s'appelle «daguerréotype», mais tu n'as pas besoin de savoir tout cela. Aide-nous à nous débarrasser de lui, je t'en supplie! Une fois qu'il sera devenu un pur esprit, il ne pourra plus nous terroriser.

C'est précisément ce moment qu'Asmodius a choisi pour entrer en trombe dans le laboratoire. Il s'est mis à tourner en rond autour de l'immense trône de bois qui se trouvait au centre de la pièce. On aurait dit un de ces insectes incapables de s'empêcher de virevolter autour de la flamme d'une bougie, au risque de se brûler les ailes.

– Les gaz sont prêts, Lamia ? Attache-le vite ! Ce que tu peux être lambine ! Tout ce que tu veux, c'est me faire perdre mon temps ! Inutile de nier, je sais ce que tu penses !

Sa façon de traiter Lamia m'horripilait à un tel point que je suis allé m'asseoir sur le fauteuil massif avant qu'il ne me le demande. J'aurais même attaché les courroies de cuir par moi-même si cela avait été possible, mais c'est Lamia qui s'en est chargée. Quand j'ai été solidement ligoté, maître Asmodius a posé autour de ma tête un ruban métallique branché à de multiples fils.

– Tout ira bien, Martin, m'a soufflé Lamia. Tu es prêt ?

J'ai opiné de la tête et elle m'a aussitôt appliqué sur la bouche et le nez un masque de caoutchouc qui m'empêchait de respirer autre chose que le mélange gazeux qu'elle avait préparé. Elle a attaché ce masque avec des courroies de cuir, mais c'était une précaution bien inutile : je ne demandais pas mieux que de respirer ce gaz à pleins poumons, et tant pis pour les cauchemars que je ferais peut-être. Asmodius voulait que je l'aide à séparer son âme de son corps ? J'allais faire tout ce qui était en mon pouvoir pour lui permettre d'atteindre son but, et tant mieux pour lui s'il y restait !

— Tu n'auras pas le temps de compter jusqu'à dix que tu t'endormiras, a ajouté Lamia avec douceur.

— Crois-tu que je ne t'entends pas chuchoter, Lamia ? a alors hurlé maître Asmodius. Cesse immédiatement ces enfantillages ! Martin n'a pas besoin d'être rassuré. Tout ira bien, bien sûr que tout ira bien !

CHAPITRE 9

Tout ce dont je me souviens, c'est d'avoir entendu des voix : « Ce garçon n'a aucun talent ! » répétait Asmodius. « Il faut attendre encore un peu… » répondait Lamia. Leurs voix étaient si faibles, si lointaines qu'elles me semblaient provenir d'un pays étranger, et même d'une autre planète.

Et puis, plus rien. Je me suis senti tomber dans un gouffre sans fond et je suppose que j'ai dormi comme une bûche. Si j'ai fait des rêves, je n'en ai heureusement gardé aucun souvenir.

Quand je me suis enfin réveillé, je n'étais plus attaché sur le trône de bois, mais étendu sur une civière.

J'avais l'impression de revenir d'un voyage qui m'avait emmené dans les abysses de l'océan. Ma gorge était sèche et j'ai eu toutes les peines du monde à ouvrir les yeux : on aurait dit que mes paupières étaient collées ensemble, et même solidement cousues.

— J'ai une mauvaise nouvelle pour toi, Martin, m'a dit Lamia quand j'ai enfin eu la force de les ouvrir. Tu viens de rater ton examen. Maître Asmodius était furieux.

J'ai mis un long moment avant de comprendre le sens de ses paroles. Un examen ? Quel examen ? Qui était cet Asmodius dont me parlait cette infirmière rousse ? Qu'est-ce qui s'était passé ? Qu'est-ce que je faisais là ?

– J'ai réussi à convaincre le maître de te donner une autre chance, a poursuivi Lamia. Nous reprendrons l'expérience dès demain. Il ne faudra pas la rater, cette fois…

J'ai alors suffisamment recouvré mes esprits pour me rappeler le sort que faisait subir Asmodius à ceux qui le décevaient : j'étais promis à devenir un festin pour les chiens.

J'ai tenté de me lever, mais j'étais encore si étourdi que je n'y suis pas parvenu. Des domestiques ont dû utiliser la civière pour me ramener à ma chambre, et ce sont eux qui m'ont transféré dans mon lit. S'il m'avait fallu en découdre avec des chiens à ce moment-là, je n'aurais pas pu leur offrir la moindre résistance.

Il fallait absolument que j'arrive à répéter mon expérience de décorporation, ou alors, pour le moins, que je donne à maître Asmodius l'espoir d'y arriver un jour. Mais comment le pourrais-je alors que je n'avais aucun contrôle sur ce phénomène, et que j'étais même incapable de me tenir debout ?

J'ai tenté d'y réfléchir, mais j'étais si épuisé que j'ai sombré dans un profond sommeil.

Je ne sais pas combien de temps j'ai dormi. Plus de douze heures, sans doute : je me suis réveillé le lendemain matin, quand j'ai entendu des coups sur ma porte, bientôt suivis de bruits de verrous. Le serviteur muet m'a ordonné de l'accompagner jusqu'à la cuisine, où la cuisinière m'a servi un quignon de pain et un bol de lait tiède sur le coin de la table.

Je n'étais visiblement plus dans les grâces de maître Asmodius, qui ne voulait plus de moi à sa table. Cela ne me troublait pas le moins du monde. J'étais persuadé à ce moment-là que je serais bientôt débarrassé de lui.

En me réveillant, je m'étais dit en effet que j'avais dormi si profondément que je n'avais pas eu la force de rêver.

«Je n'ai même pas eu la force de rêver», m'étais-je répété deux ou trois fois, jusqu'à ce que je comprenne que j'avais mis le doigt sur ce qui pourrait bien me permettre d'en finir avec ce cauchemar.

CHAPITRE 10

Le serviteur muet m'a ensuite entraîné jusqu'au laboratoire, où maître Asmodius et Lamia m'attendaient.

Ni l'un ni l'autre ne m'a salué quand je suis entré dans la pièce. Lamia fixait le sol devant elle, et Asmodius était penché sur un appareil qu'il s'efforçait de faire fonctionner. Il semblait furieux.

– Nous suivrons la même procédure qu'hier, a-t-il fini par dire sans même me regarder. Assieds-toi vite sur le trône, Martin, qu'on en finisse. Tu peux remercier Lamia d'avoir insisté pour que je t'accorde une deuxième chance. S'il n'en avait tenu qu'à moi…

— Est-ce que je peux me permettre une suggestion ? ai-je demandé.

— Je suppose que je n'ai rien à perdre à écouter un simple d'esprit, a grommelé Asmodius.

Il était toujours occupé à tenter de régler sa machine, et paraissait de plus en plus frustré de ne pas y arriver.

— Je ne connais rien à la chimie, mais le mélange que m'avait fait respirer le docteur Thomas ne contenait que de l'éther et de la belladone. Peut-être que l'élément que vous avez ajouté pour rendre mon âme visible a eu des effets inattendus ? Peut-être a-t-il agi comme un somnifère, qui m'a fait dormir trop profondément ?

Maître Asmodius a alors cessé de manipuler son appareil et m'a regardé d'un air songeur. J'avais visiblement marqué un point, ou du moins semé le doute dans son esprit.

— Si je respirais la même solution que celle qu'avait préparée le docteur Thomas… ai-je poursuivi.

— La solution se trouverait dans la solution, a complété Asmodius, pensif. Ce n'est pas si bête…

— Pourquoi ne pas l'essayer ? a renchéri Lamia. Nous n'avons rien à perdre.

— C'est ce que nous ferons immédiatement, a décrété Asmodius, soudain enthousiaste. Prépare-nous ce mélange, Lamia, et veille à respecter scrupuleusement les proportions spécifiées par le docteur Thomas.

Lamia s'est attelée à la tâche. Il ne lui a fallu que quelques minutes pour préparer son nouveau mélange. Pendant qu'elle s'y activait, je suis allé de moi-même m'installer sur le trône, où Asmodius s'est empressé d'attacher les courroies pour immobiliser mes bras et mes jambes.

Lorsque Lamia a installé le masque sur mon visage, j'ai pris une grande respiration et il ne m'a fallu que quelques secondes pour me retrouver dans une cave fourmillante de rats, qui se sont aussitôt rués sur moi. Leurs cris ressemblaient à d'horribles grincements métalliques. Je les ai sentis s'attaquer à mes vêtements, puis planter leurs dents dans ma chair et en arracher de grands lambeaux, ce qui me causait une douleur insupportable.

Je n'aurais jamais cru pouvoir être aussi content d'être plongé dans un tel cauchemar : j'avais fait le même, exactement le même à l'orphelinat, avec le docteur Thomas ! J'étais donc sur la bonne voie.

J'étais cependant loin de me douter que ce cauchemar, cette fois-ci, ne se terminerait jamais.

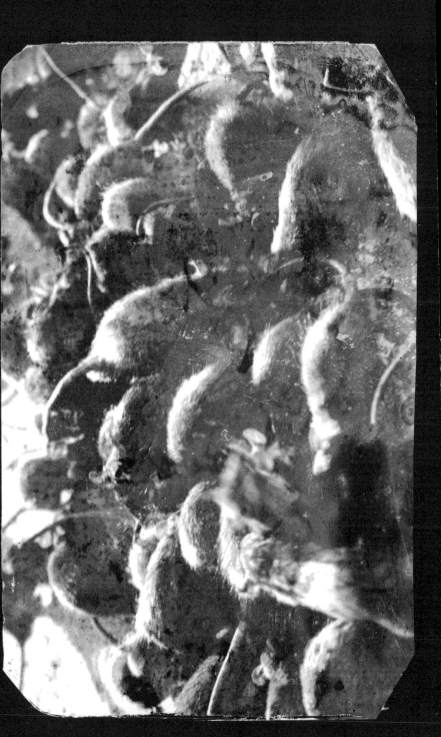

CHAPITRE 11

Je suis ensuite tombé dans un gouffre profond, mais ce gouffre s'est bientôt *inversé*: au lieu de me sentir couler dans l'abîme, j'ai été aspiré vers le haut de la pièce.

Un obstacle m'a empêché de poursuivre mon ascension, et j'ai immédiatement reconnu les moulures qui décoraient le plafond du laboratoire: je flottais dans les airs, une fois de plus, léger comme un nuage.

En me retournant sur moi-même, j'ai aperçu maître Asmodius, toujours aussi excité.

— Ce garçon avait raison! s'est-il exclamé en regardant ses appareils. Ça marche! Ma machine le détecte!

— C'est génial, Asmodius, a dit Lamia. Tu as presque réussi.

J'ai été étonné qu'elle l'appelle Asmodius, tout à coup, et encore plus qu'elle le tutoie.

Le maître a alors levé les yeux vers le plafond, sans doute dans l'espoir d'y apercevoir mon fantôme, et j'ai eu l'impression qu'il y parvenait, du moins de façon fugace. Si je me déplaçais dans la pièce, il semblait me suivre des yeux pendant quelques instants, puis il me perdait de vue.

De mon côté, j'arrivais maintenant à les voir et à les entendre sans la moindre difficulté. Mon corps était là, sanglé sur cet immense trône, mais mon esprit flottait dans les airs, tout léger, comme si j'étais soudainement devenu un oiseau invisible. Cette sensation était si euphorisante que j'avais l'impression de vivre dans un rêve – un beau rêve, cette fois. J'ai tenté de me promener dans la pièce et de saisir quelques objets qui se trouvaient dans le laboratoire, sans y réussir. J'ai même essayé de toucher l'épaule de Lamia pour lui indiquer ma présence à ses côtés, sans plus de succès. Mon esprit demeurait dans cette pièce, mais je n'avais plus aucun contact avec le monde physique. Je suis retourné m'installer tout près du plafond, d'où je pouvais avoir une vue plongeante sur tout ce qui se passait dans le laboratoire.

Ce que j'ai vu alors, et surtout ce que j'ai entendu, m'a sidéré.

– Aide-moi à le détacher, a dit Asmodius. Je n'ai pas envie de vivre mes premiers instants de liberté sanglé sur ce trône. Les gens ont la mauvaise habitude de mourir quand on sépare leur esprit de leur corps. Celui-ci est encore tout chaud, tout vivant : c'est le moment ou jamais d'en profiter.

Une fois les courroies enlevées, ils se sont saisis de mon corps inerte, Asmodius le tenant par les épaules et Lamia par les pieds, et l'ont transporté jusqu'à la civière, sur laquelle ils l'ont étendu. Asmodius a ensuite agrippé le masque de caoutchouc et a pris ma place sur le trône.

— Donne-moi vite ma dose de ce merveilleux mélange ! a-t-il ordonné à Lamia. Il n'y a pas de temps à perdre !

— Est-ce bien prudent ? Il t'est déjà arrivé d'être secoué par des spasmes violents, rappelle-toi.

— Et alors ? Ce vieux corps sera encore plus abîmé qu'il ne l'est, voilà tout ! Pour ce qu'il vaut ! La dose est-elle prête ? Un tout petit peu suffira, souviens-toi : chez les vieillards, l'âme ne tient plus au corps que par habitude. Elle n'y est pas aussi solidement attachée que chez les jeunes…

— Je sais tout cela, ne t'inquiète pas, a répondu Lamia. Tu as presque toujours bien réagi. Il n'y a pas de raison que ce soit différent cette fois-ci. Une bonne respiration, et tu seras enfin libéré de cette vieille carcasse.

Ce n'est que lorsque j'ai vu Asmodius installer lui-même le masque de caoutchouc sur son visage et se mettre à trembler de tous ses membres que j'ai enfin compris — bien trop tard ! — ce qui se passait.

CHAPITRE 12

Si j'ai mis du temps à comprendre ce qui m'arrivait, il m'en a fallu encore plus pour y croire.

Lamia n'était pas la servante d'Asmodius, mais sa complice. Elle avait gagné ma confiance en feignant d'être de mon côté et j'étais tombé dans le panneau. Le résultat, c'était que mon esprit était là, dans les airs, totalement impuissant, tandis qu'on me volait mon corps, que je voyais maintenant bouger : l'esprit d'Asmodius en avait pris possession sans que j'y puisse quoi que ce soit.

– C'est magnifique, Lamia! s'est exclamé Asmodius en se levant de la civière sur lequel il était étendu. Martin m'a généreusement offert son corps, un beau corps tout neuf! Regarde-moi ces mains, bien recouvertes de chair! Et cette belle peau, bien élastique! Et tout le reste est à l'avenant : tâte-moi ces bras! Je n'ai pas été aussi musclé depuis des années! Et vois comme je suis souple! Je peux toucher mes orteils et me relever sans sentir ma colonne vertébrale craquer de toutes parts! Ce n'est pas du sang qui coule dans mes veines, mais une sève chaude, nourricière, vivifiante. Quel bonheur d'être à nouveau un jeune homme! Finies les raideurs, adieu les douleurs! Et ces cheveux! Ne sont-ils pas magnifiques?

– Nous avons enfin réussi! C'est incroyable!

– Maintenant que nous connaissons la recette, il suffira de la répéter pour rester à jamais jeunes et beaux!

— Pourvu que nous trouvions vite une jeune fille douée pour la décorporation.

— Nos rabatteurs nous dénicheront une autre perle rare, ne t'en fais pas. Les expériences de décorporation sont bien plus courantes qu'on le pense, surtout chez les adolescentes. Te rends-tu compte : nous serons tous les deux jeunes, Lamia, jeunes pour l'éternité ! En attendant, nous devrions peut-être penser délivrer notre ami Martin de sa fâcheuse position. Ça va, Martin ?

Asmodius a levé la tête vers le plafond en disant ces mots, mais ses yeux scrutaient l'espace qui se trouvait au-dessus de sa tête sans jamais s'arrêter sur moi.

— Tu ne peux pas me répondre, évidemment. Suis-je bête ! Comment le pourrais-tu, alors que tu n'as plus de corps ? C'est une sensation agréable que de voler dans l'espace, n'est-ce pas ? Profites-en, mon vieux, profites-en ! De toute façon, c'est tout ce que tu peux faire ! Ha, ha, ha ! Tu dois avoir envie de m'étrangler, non ? C'est ce que je penserais si j'étais à ta place, mais il est trop tard, malheureusement ! Ça aussi, c'est difficile à accomplir quand on n'a pas de corps ! Tu vois, Martin : je sais ce que tu penses avant même que tu le penses ! Je te l'avais dit ! Ha, ha, ha ! Merci pour ce corps magnifique que tu m'as offert, mon vieux ! Je saurai l'utiliser, crois-moi ! Tu permets que je t'appelle «mon vieux», n'est-ce pas ? Ha, ha, ha ! C'est ce que tu seras bientôt : un vieillard sur le point de mourir. Tu vois ce corps décharné sur le trône ? Je te le laisse ! Libre à toi de l'habiter, ou plutôt de l'*animer*, chanceux que tu es ! Tu sauras alors ce que c'est que d'avoir mal partout et de te sentir faible et usé. Cette vieille dépouille n'en a plus que pour quelques jours, je te préviens. Quelques semaines, tout au plus… N'enlève jamais tes gants, surtout… à moins que tu tiennes absolument à admirer de la chair en décomposition. Adieu, vieux corps pourri ! Je te confie l'âme de Martin !

Il m'a encore une fois cherché du regard, en vain.

– Rien ne t'oblige à te réincarner, tu sais, a-t-il poursuivi, sur un ton plus affable cette fois. Tu peux oublier cette vieille enveloppe charnelle et la laisser pourrir. C'est d'ailleurs ce qui arrivera dans quelques instants, si tu tardes à te décider. Sans esprit pour l'animer, vois-tu, un corps ne saurait survivre longtemps, surtout une vieille loque comme celle-là. Tu seras ainsi condamné à hanter ce vieux manoir à tout jamais, sans pouvoir interférer avec le monde réel. Tu verras alors que c'est long, l'éternité ! Ha, ha, ha !

Il a examiné longuement le corps qu'il avait abandonné. Il s'attendait sans doute à ce que je le fasse bouger en le réintégrant, ce que je n'avais aucune envie de faire — du moins pour le moment.

— Tu es sûr que tu ne veux pas de ce vieux corps, Martin ? C'est mieux que rien, tu sais…

Il a encore attendu quelques instants, puis il s'est tourné vers Lamia.

— On dirait bien qu'il a choisi de rester un pur esprit… Libre à lui, après tout !

Il a de nouveau examiné son ancien corps, puis il a regardé vers le plafond, cherchant à me voir.

— Je respecte ta décision, Martin. Quoi qu'il en soit, je te remercie pour ton sacrifice. Je te remercie sincèrement. Dis-toi que ton ancien corps est maintenant habité par l'esprit d'un génie, soit dit en toute modestie !

Il s'est ensuite adressé à Lamia :

— Il ne nous reste plus qu'à expliquer aux domestiques que le maître a voulu faire une expérience à laquelle il n'a pas survécu. Avec leur aide, nous enterrerons la dépouille du vieil Asmodius au cimetière, et nous leur ferons la lecture de son testament, dans lequel il est précisé que toutes les possessions d'Asmodius iront à Martin et à Lamia, en parts égales. Ça te va comme ça, chère amie ?

— C'est parfait.

— Aussitôt que nous en aurons fini avec ces formalités, nous te trouverons un autre corps, c'est promis. Mais d'abord, allons chercher Edgar : il nous fabriquera un cercueil bien solide pour la dépouille d'Asmodius. Si jamais, par miracle, Martin a encore le désir de réintégrer ce vieux corps pourri, il se retrouvera six pieds sous terre. Tant pis pour lui.

Asmodius allait bientôt s'apercevoir qu'il n'avait pas tout prévu.

CHAPITRE 13

Edgar est bientôt entré dans le laboratoire, suivi de Lamia, qui lui expliquait que son vieux maître avait fait une expérience de trop et qu'il faudrait l'enterrer au cimetière.

– Creuse-nous un trou bien profond, n'a pu s'empêcher d'ajouter Asmodius, qui avait maintenant ma voix.

Il commettait ainsi une grave erreur : de quel droit cette infirmière osait-elle lui donner des ordres ? a dû se dire Edgar. Et comment ce jeune homme, ce simple orphelin, pouvait-il se permettre de lui parler sur ce ton ?

Le moment était venu pour moi d'interven...
L'ancien corps d'Asmodius était répugnant,
mais au moins c'était un corps, et il était le seul
que j'avais à ma disposition. J'ai attendu à la
dernière minute avant de m'y réfugier, non
sans dégoût.

– Ne les écoute pas ! ai-je alors voulu crier,
mais il n'est sorti de ma bouche qu'un râle
presque inaudible.

Comme ils me croyaient mort, cette manifes-
tation les a quand même fait sursauter.

Je me suis alors aperçu que les poumons d'un
vieil homme contiennent beaucoup moins
d'air que ceux d'un adolescent, et son corps,
cent fois moins d'énergie.

Il m'a fallu rassembler toutes mes forces pour
trouver le moyen de déclarer à voix haute,
bien distinctement :

– Ne les écoute pas, Edgar ! Ce sont des traîtres, des criminels ! Ils ont essayé de me tuer ! Appelle tes chiens, vite !

La scène suivante s'est déroulée en quelques secondes. J'ai d'abord vu dans les yeux d'Asmodius – j'allais écrire *dans mes yeux* – qu'il avait compris ce qui arriverait, mais qu'il était déjà trop tard. Lamia a eu un meilleur réflexe en courant vers la porte pour la fermer.

– Appelle tes chiens, vite ! ai-je crié une fois de plus à Edgar. Ne laisse pas ces imposteurs s'en tirer !

Cette fois, aucun doute n'était permis pour Edgar. Il a reconnu la voix de son maître, et il a obéi. Il a éloigné Lamia de la porte, qu'il a rouverte, et il a appelé ses chiens.

– À l'attaque ! À l'attaque !

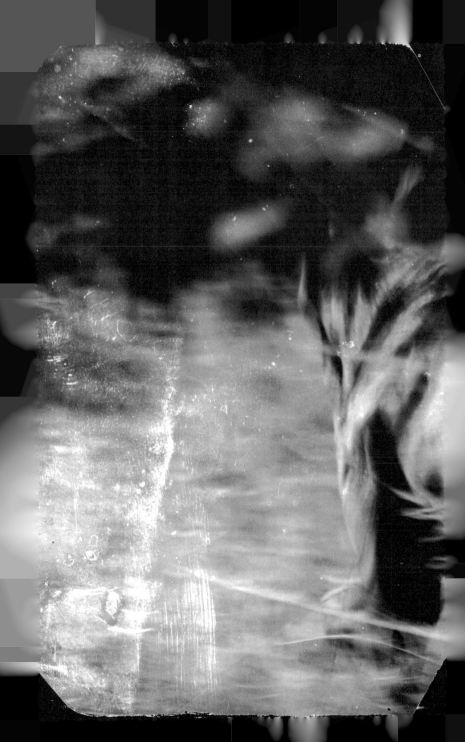

J'ai fermé les yeux pour ne pas voir le terrible carnage qu'ils ont commis, et tenté de me boucher les oreilles pour ne pas les entendre, sans y parvenir complètement. Les bruits que j'ai entendus, aboiements, grognements, chairs déchirées et craquements d'os, étaient horribles.

Quand je n'ai plus rien entendu, j'ai rouvert les yeux. Il n'y avait plus que des traces de sang sur le sol, des os, des lambeaux de chair et des chiens, pas encore rassasiés, qui continuaient à se repaître.

J'ai remercié Edgar d'un hochement de tête, puis je me suis levé lentement, très lentement : mon vieux corps, auquel je devais m'habituer, était raide et maladroit.

Je me suis tranquillement dirigé vers la maison et j'ai ordonné aux domestiques de me procurer de l'encre et du papier, puis de m'emmener dans le bureau du maître, où je me suis installé. Je me suis d'abord entraîné à imiter l'écriture d'Asmodius, puis j'ai rédigé un testament laissant tous ses biens à la communauté religieuse qui m'avait recueilli et élevé. Edgar m'a servi de témoin.

J'ai ensuite mis par écrit le récit de ce qui m'était arrivé depuis ma première expérience de décorporation, et que vous venez de lire.

Je suis heureux d'y être parvenu. Le vieux corps d'Asmodius n'en a plus pour très longtemps maintenant – mon souffle ressemble de plus en plus à un pénible râle d'agonie, mais j'ai au moins la satisfaction de savoir que ma trop courte vie n'aura pas été inutile.

Il ne me reste plus qu'à respirer encore une fois le mélange de gaz du docteur Thomas – espérons qu'il y en aura assez! – pour me débarrasser à tout jamais de la carcasse d'Asmodius. Je deviendrai alors un fantôme, ou un spectre, ou je ne sais quoi. Serai-je alors condamné à hanter éternellement les murs de ce triste manoir?

Sera-t-il possible de le quitter et d'errer de par le vaste monde ? Puis-je même espérer avoir la chance, un jour, de me réfugier dans le corps abandonné d'un jeune homme qui viendrait de mourir ? Il m'est impossible de le savoir, mais peu importe le résultat, au fond. Tout ce qui compte pour l'instant, c'est que maître Asmodius sera bientôt rayé à tout jamais de la surface de la Terre : il ne subsistera plus rien de lui, ni son corps, ni son esprit.

François Gravel

Né en 1951, François Gravel a d'abord enseigné l'économie avant de bifurquer vers l'écriture. Il a écrit une soixantaine de romans qui s'adressent aux adultes (*Filion et frères, Nowhere man*), aux adolescents (*Ho, La cagoule, La piste sauvage*) ou aux plus jeunes (*Klonk, David, Zak et Zoé*). Il a aussi publié des albums et des poèmes pas très sérieux (*Quand je serai grand, Débile toi-même*), de même que des documentaires amusants (*Shlick, Cocorico*) et des ouvrages inclassables (*Le guide du tricheur*). Ses livres lui ont valu de nombreux prix et distinctions (prix M. Christie, prix TD, Prix du Gouverneur général, liste d'honneur Ibby). Il a l'intention d'écrire jusqu'à ce qu'il atteigne l'âge de 85 ans. Il prendra alors deux semaines de vacances (mais pas plus!) avant de s'y remettre.

la courte échelle 🌙 noire

Des romans pour les amateurs de sensations fortes.

(HORREUR)   (SUSPENSE)   (ENQUÊTE)

🌙🌙🌙 (7 ANS Et +)

🌙🌙🌙 (9 ANS Et +)

🌙🌙🌙 (11 ANS Et +)

Dans la collection noire

 7 ANS et +

L'homme de la cave
Alexandre Côté-Fournier

Le champ maudit
François Gravel

L'étrange fille au chat
Rémy Simard

 9 ANS et +

Oiseaux de malheur
Jocelyn Boisvert

Un bruit dans les murs
Julie Champagne

Je suis un monstre
Denis Côté

L'agence Mysterium –
L'étrange cas de madame Toupette
Alexandre Côté-Fournier

L'agence Mysterium 2 –
Les disparitions de Babouche
Alexandre Côté-Fournier

L'agence Mysterium 3 –
Mission Nanouime
Alexandre Côté-Fournier

Les mannequins maléfiques
Pierrette Dubé

Les vieux livres sont dangereux
François Gravel

Tu n'as rien à craindre des cimetières
François Gravel

Ça leur apprendra à sortir la nuit
François Gravel et Martine Latulippe

 11 ANS et +

Lac Adélard
François Blais

Terminus cauchemar
Denis Côté

Un festin pour les chiens
François Gravel

Baie-des-Corbeaux
Sonia Sarfati

Sombre secret
Carole Tremblay

 13 ANS et +

Les prédateurs de l'ombre
Denis Côté

Un festin pour les chiens a été achevé d'imprimer en février 2021 sur des matériaux issus de forêts bien gérées certifiées FSC® et d'autres sources contrôlées par Marquis Imprimeur pour la courte échelle.